Bienvenue
dans le monde des

Téa Sisters

ALBIN MICHEL JEUNESSE

Salut, c'est Téa, la sœur de Geronimo Stilton! Je suis envoyée spéciale de «l'Écho du rongeur», le journal le plus célèbre de l'île des Souris. J'adore les voyages et j'aime rencontrer des gens du monde entier, comme les Téa Sisters. Ce sont cinq amies vraiment épatantes. Je vous les présente!

Colette a une vraie passion pour le rose et c'est la fille la plus fashion du groupe. Toujours occupée à soigner son look, elle est sans cesse en retard!

Violet aime étudier et découvrir sans cesse de nouvelles choses. Elle aime la musique classique et rêve de devenir une grande violoniste!

Paméla mangerait sa pizza adorée même au petit déjeuner. C'est une mécanicienne accomplie. Donnez-lui un tournevis et elle vous réparera n'importe quel moteur!

PAULINA est un peu timide et brouillonne, mais aussi très altruiste. Comme elle aime voyager, elle connaît des gens de tous les pays.

Nicky est passionnée d'écologie et de nature. Elle vient d'Australie et aime la vie au grand air. Elle ne tient pas en place!

Téa Sisters

Texte de Téa Stilton.
*Basé sur une idée originale d'*Elisabetta Dami.
*Coordination des textes d'*Alessandra Berello *(Atlantyca S.p.A.)*
*avec la collaboration d'*Arianna Bevilacqua.
Sujet et supervision des textes de Carolina Capria *et* Mariella Martucci.
Coordination éditoriale de Patrizia Puricelli.
Édition de Daniela Finistauri.
Coordination artistique de Flavio Ferron.
Assistance artistique de Tommaso Valsecchi.
Couverture de Giuseppe Facciotto.
Illustrations intérieures de Chiara Balleello, Barbara Pellizzari *(dessins)*
et Francesco Castelli *(couleurs)*.
Graphisme de Yuko Egusa.
Cartes : Archives Piemme.
Traduction de Béatrice Didiot.

www.geronimostilton.com

Pour l'édition originale :
© 2012, Edizioni Piemme S.p.A. – Corso Como, 15 – 20154 Milan, Italie
sous le titre *Il fantasma di Castel Falco*
International rights © Atlantyca S.p.A. – Via Leopardi, 8 – 20123 Milan, Italie
www.atlantyca.com – contact : foreignrights@atlantyca.it
Pour l'édition française :
© 2014, Albin Michel Jeunesse – 22, rue Huyghens, 75014 Paris
www.albin-michel.fr
Loi 49-956 du 16 juillet 1949 sur les publications destinées à la jeunesse
Dépôt légal : premier semestre 2014
Numéro d'édition : 21245
Isbn-13 : 978 2 226 25504 4
Imprimé en France par Pollina s.a. en mars 2014 - L67424A

Stilton est le nom d'un célèbre fromage anglais. C'est une marque déposée de Stilton Cheese Makers'
Association. Pour plus d'informations, vous pouvez consulter le site www.stiltoncheese.com

Téa Stilton

LE FANTÔME DE CASTEL FAUCON

ALBIN MICHEL JEUNESSE

APPRENONS ENSEMBLE !

UNE SEMAINE, TROIS JOURS, SEPT HEURES ET QUARANTE MINUTES : c'était le temps qui restait avant la fin du semestre ! À la perspective des examens de fin d'année, tous les étudiants de Raxford, sans exception, s'étaient PLONGÉS dans les révisions !

Sachant que la tâche la plus lourde devient légère lorsqu'on l'affronte ensemble et dans la bonne humeur, les Téa Sisters s'y préparaient… à leur façon ! Armées de FEUTRES et de feuilles de couleur, elles avaient entrepris de dresser la liste des matières à étudier, assorties de propositions de chacune d'elles pour s'en acquitter de manière LUDIQUE.

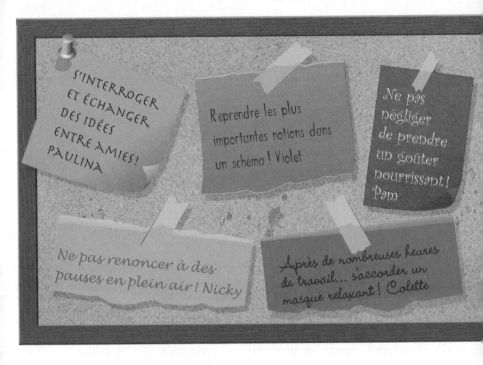

L'impulsion décisive était venue de **Maria**, la petite sœur de Paulina, qui avait suggéré à celle-ci de transformer l'étude en **JEU** !

EMBALLÉES, les Téa Sisters avaient rivalisé d'ingéniosité pour inventer des moyens CRÉATIFS et amusants de réviser.

Afin de parvenir à apprendre par cœur un

SONNET de William Shakespeare,
par exemple, elles avaient
repris ses vers dans une
CHANSON à entonner en
chœur ! Et pour l'épreuve
de biologie MARINE,
elles avaient imaginé une
version **SCIENTI-
FIQUE** du jeu de l'oie
en inscrivant une question
sur chaque case du plateau.
Si bien que, cet après-
midi-là, lorsque Colette

DEVRAIS-JE TE COMPARER À UNE JOURNÉE D'ÉTÉ ?

POINTA le nez à la porte de la chambre de Nicky
et de Paulina, le bras glissé dans un grand panier
en osier, les quatre amies comprirent aussitôt
qu'une nouvelle réunion de travail, originale et
DIVERTISSANTE, les attendait…

– Les filles, posez vos livres et enfilez vos baskets : on va au **MONT ÉBOULEUX** ! claironna Colette.

– Ah oui ?! Dis-nous vite pour quoi faire ? s'enquit Nicky en bondissant sur ses pieds, pleine d'*ENTHOUSIASME*.

– Pas de question, c'est une **SURPRISE** ! répliqua Colette en souriant.

Sans un mot de plus, elle s'éloigna dans le couloir, sa mystérieuse CORBEILLE laissant une délicieuse odeur dans son sillage…

UN PIQUE-NIQUE ET UNE SURPRISE!

Durant le long trajet à pied, Colette refusa obstinément de révéler à ses amies ce qu'elle leur RÉSERVAIT.

– Avec tout ce qui nous reste à apprendre...

FAITES-MOI CONFIANCE!
VOUS ALLEZ COMPRENDRE!

Pouf... haleta Pam, tu es sûre que c'est le moment de faire une sortie en montagne, Coco ?

– Il ne s'agit pas d'une simple promenade ! rectifia sa camarade d'un air énigmatique. Vous **DÉCOUVRIREZ** bientôt ce que j'ai préparé…

Lorsqu'enfin Colette s'arrêta et étendit une n a p p e à carreaux sur l'herbe d'un pré, Violet s'exclama :

– Un pique-nique !

– Voire plus ! annonça son amie. Il s'accompagne d'un QUIZ ! Pendant que nous prendrons notre goûter, nous reverrons le programme d'*histoire*, point par point !

Tandis que la jeune fille sortait de son panier le nécessaire pour leur collation, Nicky, Pam, Paulina et Violet remarquèrent

En quelle année a été découverte l'Amérique ?

que sur chaque serviette, verre et assiette était inscrite une QUESTION !

– Par mille bielles débiellées ! C'est une idée fantasouristique ! se réjouit Pam en admirant toutes les victuailles déballées.

– L'histoire ne m'a jamais semblé aussi APPÉ-TISSANTE ! ajouta Nicky.

C'est ainsi qu'entre un jus de pomme et un club-sandwich les cinq filles révisèrent tout le *COURS* du professeur Delétincelle !

– Quel après-midi MÉMORABLE ! commenta Paulina.

– Tu l'as dit ! confirma Violet en s'*ÉTENDANT* sur l'herbe. Nous devrions venir plus souvent au mont Éboulis, c'est si TRANQUILLE...

Un bruit semblable à de puissants **COUPS** de marteau vint pourtant la contredire.

– Ça vient de Castel Faucon! s'écria Nicky, en se tournant pour fixer l'édifice ancien qui se dressait sur une éminence proche.

– C'est vraiment BIZARRE, observa Paméla. Plus personne n'y vit depuis des années!

Se pouvait-il que Castel Faucon fût à nouveau habité? Cédant à la curiosité, les Téa Sisters coururent aussitôt vérifier.

– Cet endroit donne le **frisson**... murmura Colette en s'approchant de la grille du château.

– Une camionnette est garée là, mais je ne vois PERSONNE... fit Violet en scrutant les alentours à travers les barreaux.

– HÉ, PETITES! QU'EST-CE QUE VOUS VOULEZ?

lança soudain une voix **BOURRUE**.

Deux rongeurs en tenue de travail venaient de surgir de derrière le véhicule.

– Bonjour ! salua Violet. Comme nous avons entendu du **BRUIT**, nous sommes venues jeter un coup d'œil.

– Vous êtes les nouveaux occupants du château ? s'enquit Nicky.

Les deux individus échangèrent un regard louche.

– Non, nous sommes envoyés par le propriétaire pour faire quelques TRAVAUX avant son arrivée.

– Et maintenant que vous avez satisfait votre curiosité, vous pouvez partir ! coupa court le second larron.

– Quelles manières ! s'indigna Colette en s'éloignant avec ses amies.

– En effet, renchérit Paulina. Espérons que le nouveau maître des lieux sera plus SYMPA-THIQUE !

UNE NOUVELLE PORTÉE PAR LE VENT

Entre-temps à Raxford, Margot Ratcliff était justement sur le point de découvrir l'IDENTITÉ du nouveau propriétaire de Castel Faucon…

Le professeur de lettres se promenait dans le JARDIN en quête d'une idée originale pour sa dernière leçon du semestre, quand une rafale de VENT ébouriffa son impeccable mise en plis.

Tandis qu'elle se RECOIFFAIT, l'enseignante eut tout juste le temps de voir une seconde bourrasque pousser une feuille de JOURNAL dans sa direction. Puis plus rien : le papier s'était PLAQUÉ sur son visage !

– Excusez-moi, c'est ma faute ! s'écria Shen en volant à son **SECOURS**. J'étais complètement absorbé par mon sudoku et je n'ai pas remarqué que le vent EMPORTAIT mon journal !
– Shen, tâche de faire plus attention quand...
Contre toute attente, la réprimande de l'enseignante s'arrêta LÀ, cédant la place à une exclamation d'enthousiasme :

_ Quelle merveille!

Sur l'une des pages échappées à Shen, Margot
Ratcliff avait lu une nouvelle FANTASOURIS-
TIQUE : **Tom Mystery**, l'un
de ses écrivains préférés, venait

TOM MYSTERY DÉBARQUE
SUR L'ÎLE DES BALEINES !

vivre sur l'île des Baleines, plus
précisément à Castel Faucon !
– Ne t'excuse pas, jeune homme :
tu viens de m'aider à trouver
ce que je CHERCHAIS !
Sur ces mots, elle se dirigea
à grands pas vers le bureau
du recteur : elle devait absolu-
ment le convaincre d'inviter le romancier à
PRÉSENTER son travail aux étudiants du
collège !
– Monsieur de Ratis, j'aimerais vous parler

d'une chose très **IMPORTANTE** ! annonça-t-elle en pénétrant dans la pièce.

– Moi aussi ! déclara le recteur. J'ai appris que Tom Mystery s'*INSTALLAIT* sur notre île et j'ai pris la liberté de lui proposer de donner une *conférence* à nos étudiants ! Oh, mais pardonnez-moi, je vous ai interrompue ! Que vouliez-vous me dire ?

– Que vous êtes le *meilleur* recteur que Raxford puisse rêver ! répondit Margot Ratcliff en souriant.

TOM MYSTERY EN CHAIRE !

– … *Quand enfin le vieux taxi s'arrêta à sa hauteur, Jane s'y engouffra sans hésiter. «À la gare!» pria-t-elle le conducteur. Et tandis que l'automobile redémarrait, la jeune héritière lança un dernier regard à la Villa des Ténèbres. «Cette fois, c'est toi qui as gagné, murmura-t-elle à l'adresse de la vieille demeure, mais je reviendrai percer ton mystère…»*

D'un geste solennel, Violet referma le ⓛⓘⓥⓡⓔ et regarda ses amis : tous étaient BOUCHE BÉE !

En attendant Tom Mystery, les étudiants s'étaient ⓘⓝⓢⓣⓐⓛⓛⓔⓢ dans la salle où devait

se tenir sa conférence et patientaient en *lisant* ensemble à voix haute des extraits du dernier grand succès du romancier : *La Villa des Ténèbres n'aime pas les intrus !*

– **WAOUH !** J'ai retenu mon souffle pendant tout le chapitre ! s'exclama Vik.

– Moi aussi... Et avec toute cette **TENSION**, espérons que j'arrive aussi à me retenir de m'agiter dans mon lit, cette nuit ! commenta Shen, l'air inquiet.

À cet instant, Tom Mystery entra en compagnie du recteur et du professeur Ratcliff, et se mit aussitôt à évoquer son travail.

Son intervention se révéla aussi **INTENSE** et captivante que ses romans. Le célèbre écrivain raconta notamment que l'écriture et... les mystères en tout genre le PASSIONNAIENT depuis toujours !

ET JE DÉCOUVRIS...

Après sa longue allocution, il invita les étudiants à lui poser toutes les **questions** qu'ils souhaitaient. Il n'eut pas à le répéter deux fois !

– Pardon, monsieur Mystery, mais, comme vos romans donnent franchement la **CHAIR DE POULE**... il faut certainement être **COURAGEUX** pour les écrire ! fit remarquer Shen, au bout d'un moment.

Le romancier s'éclaircit la voix avant de répondre :

– En fait, je...

Mais avant qu'il ait pu terminer sa phrase, toutes les lumières de la salle s'*ÉTEIGNIRENT*, plongeant étudiants et enseignants dans l'obscurité la plus complète ! L'incident, dû à une panne électrique, ne dura que quelques secondes, mais quand l'*éclairage* fut rétabli, l'auditoire découvrit un spectacle plutôt **DRÔLE** : *terrifié* par le noir, Tom Mystery, le grand maître de l'angoisse, s'était réfugié dans les bras du recteur ! Les élèves durent faire de gros efforts pour réprimer leurs rires.

Une fois remis de ses émotions, Tom Mystery reprit :
– D'accord, jeunes gens, la vérité est que j'ai **PEUR** des mêmes choses que n'importe qui ! Peut-être suis-je même du genre FROUSSARD... Mais c'est justement cela qui me permet d'imaginer des histoires inquiétantes qui **FONCTIONNENT** !

Cette confession provoqua un tonnerre d'APPLAUDISSEMENTS dans le public.

Puis le professeur Ratcliff prit la parole pour libérer leur hôte :

– Bien, s'il n'y a pas d'autres questions, je dirais que la séance est close…

– Un instant ! intervint Colette. Nous aurions une ultime REQUÊTE pour monsieur Mystery ! Si monsieur le recteur est d'accord pour organiser un cours facultatif de fin de semestre, pourquoi ne resteriez-vous pas parmi nous pour nous apprendre à rédiger un roman de MYSTÈRE ?

ÉCOLE D'ÉCRITURE

La réponse de l'écrivain ne se fit pas attendre :
— J'aimerais beaucoup vous *enseigner* tout ce que je sais…
La JOIE illumina le visage des étudiants… mais s'ÉTEIGNIT dès la fin de la phrase :
— … hélas, je n'en ai pas le **TEMPS** !
Il expliqua qu'il se trouvait sur l'île des Baleines parce qu'il venait d'hériter un vieux manoir d'un lointain parent.
— La **PHOTO** de la maison m'a émerveillé, si bien que j'ai décidé de m'y installer pour écrire mon nouveau roman. Mais à mon arrivée, j'ai DÉCOUVERT que le cliché avait été pris

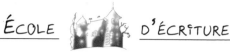

Hier...

Aujourd'hui...

il y a très longtemps et que Castel Faucon ne ressemblait plus à la **MAGNIFIQUE** demeure que j'avais pu voir…

– Castel Faucon ? Alors c'est vous le nouveau **PROPRIÉTAIRE** ?! s'exclama Paulina.

Tom Mystery acquicsça.

– Malheureusement, la situation est **CATASTROPHIQUE** : le toit fuit, les escaliers sont branlants et le salpêtre a ravagé les murs ! Vous comprendrez donc qu'en ce moment je suis très OCCUPÉ par sa remise en état ! Je suis désolé…

– Par mille bielles débiellées, quel DOMMAGE ! se désola Pam après que le romancier eut quitté la pièce.

– Dommage ? Qui a envie de subir un énième cours ASSOMMANT ?! On peut consacrer ses VACANCES de fin de semestre à des activités bien plus intéressantes ! lâcha Vanilla en tournant les talons en compagnie de ses amies.

Tandis que la jeune fille s'éloignait, Nicky lança aux autres en souriant :

– Je n'aurais jamais cru m'entendre dire cela un jour, mais Vanilla a raison, et elle vient de me donner une IDÉE formidable !

Et d'annoncer à ses amis qui la fixaient d'un air interrogateur :

– J'ai un plan… Écoutez un peu !

– Nicky, tu es un GÉNIE ! s'extasia Violet après avoir entendu les explications de leur camarade. Allons immédiatement trouver Tom Mystery ! Les cinq filles se précipitèrent dans la COUR.

– Attendez, monsieur ! cria Paulina en apercevant le romancier.

– Nous avons une PROPOSITION à vous faire ! ajouta Violet.

NOUS AVONS UNE PROPOSITION À VOUS FAIRE !

– Nous allons bientôt passer nos examens de fin de 𝓈𝑒𝓂𝑒𝓈𝓉𝓇𝑒, puis nous aurons quelques jours de vacances, poursuivit Colette. Que diriez-vous si nous vous aidions dans vos travaux de RÉNOVATION, et en échange vous nous donneriez des leçons d'écriture !

En voyant la détermination du petit groupe, le visage du romancier s'ÉCLAIRA.

– Ce que j'en dis c'est qu'avec votre bel ENTHOUSIASME, Castel Faucon retrouvera sa SPLENDEUR passée et sera le lieu idéal pour… vous apprendre à raconter une histoire à la mode « Mystery » !

MESSAGE D'ANNULATION

Le jour du **DÉPART** pour Castel Faucon, que les Téa Sisters et leurs camarades avaient tant attendu, arriva vite !

Tout en bouclant son sac à dos, Colette annonça à ses amies, la mine **RÉJOUIE** :

– J'ai un cadeau pour vous ! J'ai pris l'initiative de donner une touche d'élégance à nos habits de travail...

Elle tendit alors aux autres Téa Sisters un grand **PAQUET**, qui contenait des salopettes de couleurs différentes.

– Coco, tu es unique ! s'exclama Paulina. Grâce à

elles, nous serons à la mode même au milieu de la poussière et des gravats ! Après avoir enfilé leurs nouvelles **tenues**, les filles furent enfin prêtes.

En arrivant devant la chambre de Vanilla, elles durent toutefois s'arrêter, car le couloir était envahi de **BAGAGES** ! Alors qu'elles se frayaient un chemin parmi eux, Vanilla pointa le nez.

– Hé, où allez-vous dans cet accoutrement ?

– **AIDER** Tom Mystery à rénover Castel Faucon ; de son côté, il nous donnera des *leçons* d'écriture, expliqua Violet.

– Et toi, où pars-tu avec toutes ces valises ? Faire le tour du **monde** ? ironisa Pam en enjambant une gigantesque malle.

– Pfff! Dans une station *THERMALE* très sélect, en compagnie de mes amies! À la différence de vous, les Vanilla Girls savent comment **PROFITER** de leurs vacances! répondit la jeune fille avec dédain.

À ce moment arriva le professeur Ratcliff.

– Mesdemoiselles, je suis ravie de vous croiser avant votre départ! déclara-t-elle aux Téa Sisters avec un large sourire. *AMUSEZ*-vous et apprenez tout ce que vous pourrez! À votre retour, nous organiserons un cycle de discussions, dans lequel vous raconterez à la classe ce que Tom Mystery vous a enseigné!

Lorsque Vanilla entendit cela, son sourire se figea. Une fois de plus, ses rivales avaient réussi à être au centre de l'**ATTENTION**!

«Pas question que je leur laisse le champ libre…» rumina-t-elle en frémissant d'**ENVIE**.

– Chère professeur, gazouilla-t-elle, c'est avec grand plaisir que nous, les élèves de monsieur Mystery, exposerons aux autres la *magnifique* expérience que nous aurons vécue !

– Tu ne devais pas te rendre dans un centre de THALASSOTHÉRAPIE ?! s'étonna Colette.

Sans se troubler, Vanilla lui adressa un sourire **GLACIAL** et répliqua :

– Tu as dû mal comprendre… Moi et mes amies ne *RATERIONS* pour rien au monde les enseignements d'un aussi illustre écrivain !

Sous les yeux ébahis des Téa Sisters, la jeune fille REGAGNA sa chambre au prétexte de finir de préparer ses affaires. Lorsqu'elle se trouva à l'abri des regards indiscrets, Vanilla s'empressa d'envoyer un MESSAGE à ses comparses.

À : Alicia, Connie, Zoé

Changement de programme. Finie la station thermale : toutes au mont Ébouleux !

Un accueil insolite

– ON EST BIENTÔT ARRIVÉS ? geignit Zoé.

– Pas encore, répondit stoïquement Violet.

Au bout de guère plus de quelques mètres, Alicia demanda à son tour :

– Et maintenant ? ON Y EST ?

Leurs camarades ne purent se retenir de brailler en chœur :

– Noooon! **Nooon!** Noooon!

Vanilla et ses amies n'avaient cessé de se plaindre tout au long du trajet. Tous les prétextes leur étaient bons : la CHALEUR, les MOUSTIQUES, l'humidité, les CÔTES...

PAS ENCORE...

– Maudits **CAILLOUX** ! s'emporta Vanilla en tirant sa valise d'un coup sec, avant de s'enquérir auprès du reste du groupe : peut-on savoir pourquoi nous avons pris un chemin aussi **IMPRATICABLE** ?

– Parce que c'est le seul qui mène à Castel Faucon, répondit son frère Vik en **soupirant**.

– Et si vous aviez choisi des vêtements et des bagages convenant à la **MARCHE**, comme nous vous l'avions conseillé, ç'aurait été plus facile ! ajouta Nicky.

– Pas sûr… Vanilla trouve toujours de bonnes **RAISONS** de râler ! commenta malicieusement Colette à mi-voix.

ILS NE POURRAIENT PAS L'ASPHALTER ?!

Heureusement, peu après, la petite troupe parvint à destination.

– Oh-oh… fit Pam en observant la vieille bâtisse, dont la silhouette grise se DÉCOUPAIT sur le ciel limpide. Il ne suffira pas de deux vis et quatre clous pour la remettre en état, je le crains…

– Ni d'un bon ARROSAGE pour redonner vie au jardin… compléta Nicky en examinant la broussaille dense et épineuse qui semblait engloutir Castel Faucon.

Le groupe s'engagea dans l'ALLÉE qui conduisait à l'entrée.

– Qui sait si Tom Mystery est déjà RÉVEILLÉ ! dit Violet.

– Non, il DORT encore, répondit aussitôt Craig.

– Comment peux-tu le savoir ? lui demanda Ron.

– Parce que je le vois ! Là-bas ! répliqua le garçon en désignant l'un des **BANCS** en pierre du parc.

Les étudiants s'approchaient de lui, quand Paulina foula par mégarde une BRANCHE morte. Brisant le silence, le craquement du bois réveilla l'écrivain.

AAAAAHHHHH!!! hurla-t-il en

bondissant sur ses pieds.

– N'ayez pas PEUR, ce n'est que nous ! le rassura Nicky.

– Ah, les amis, ça fait du bien de vous voir ! s'exclama leur hôte. J'ai passé la PIRE nuit de ma vie !

Depuis qu'il s'était installé à Castel Faucon, d'étranges PHÉNOMÈNES s'étaient produits, leur raconta-t-il : des fenêtres s'ouvrant inopinément, des **BRUITS** inattendus, des LUMIÈRES s'allumant et s'éteignant toutes seules...

– Jusque-là, je n'avais pas accordé une grande importance à ces incidents… mais la nuit dernière, à minuit pile… poursuivit Tom Mystery d'un ton **épouvanté**, j'ai entendu distinctement une voix qui criait :

« **Tom, va-t'en ! Vaaa-t'eeeeeen !** »

Il conclut :

– Maintenant, je n'ai plus le moindre doute : le château est **HANTÉ** !

Les élèves échangèrent des regards **perplexes** : était-il possible que l'un des plus célèbres écrivains de romans de mystère... croie aux fantômes ?

– Monsieur Mystery, je suis certaine qu'il y a une **EXPLICATION** à tout ce qui vous est arrivé... déclara Colette. Et nous la trouverons ensemble !

Une leçon
mouvementée

La compagnie de ses invités et l'infusion RELAXANTE préparée par Violet parvinrent à tranquilliser Tom Mystery, qui finit par se convaincre que les voix entendues la nuit précédente avaient été le fruit de son **IMAGINATION**.

– Merci, jeunes gens, je me sens déjà mieux… Que diriez-vous de nous **DIVISER** en groupes afin de nous mettre au travail ? Je sens qu'un peu de mouvement me fera du bien ! Allons-y ! proposa-t-il.

Nicky, Paulina et Tanja firent équipe pour nettoyer le JARDIN et tailler les ARBRES.

Colette et Violet entreprirent d'ARRACHER le papier peint moisi qui couvrait les murs.

Craig, Shen et leur hôte décidèrent de réparer les marches du perron, tandis que Ron, Vik et Pam commençaient à REPEINDRE les volets de la maison.

Quant aux Vanilla Girls, elles s'éloignèrent en bredouillant qu'elles allaient BRIQUER la terrasse... Mais au bout de quelques minutes, elles abandonnèrent balais et serpillières pour s'étendre au SOLEIL !

Quelques heures plus tard, une dense chape de NUAGES chargés de pluie assombrit les alentours, COMPROMETTANT le bronzage des Vanilla Girls et le travail de leurs camarades.

Après avoir réuni tous les étudiants dans son salon, Tom Mystery déclara :

– Cela me semble le moment idéal pour débuter nos leçons !

Alors que, de l'autre côté de la fenêtre, un éclair **FENDAIT** le ciel obscur, Paulina commenta :

– Oui, l'atmosphère paraît tout indiquée pour apprendre à écrire une histoire qui donne le **FRISSON** !

Ils s'installèrent confortablement sur les divans et les fauteuils pour écouter les propos de l'écrivain.

– La première fois que je me suis assis derrière une **MACHINE** à écrire, aucun **DÉCLIC** ne semblait vouloir se faire dans ma tête...

Comme en écho à ses paroles, toutes les lumières du salon s'allumèrent, avant de s'**éteindre** quelques instants plus tard !

Pensant qu'il s'agissait d'une blague montée par ses hôtes, le romancier observa en souriant :

– BIEN JOUÉ ! J'ai failli tomber dans le panneau !

– Euh… nous n'y sommes pour rien… bafouilla Shen en scrutant la pièce d'un air ÉPOUVANTÉ.

À ce moment, les lumières se rallumèrent, non pas seulement dans la pièce mais dans **TOUT** le château !

Tandis que les élèves, alarmés, BONDISSAIENT sur leurs pieds, les Téa Sisters échangèrent un regard **ENTENDU** : il ne pouvait évidemment pas s'agir de fantômes, mais Castel Faucon dissimulait bel et bien un MYSTÈRE !

D'ÉTRANGES MANIFESTATIONS

Pendant quelques minutes, l'éclairage ne cessa de s'allumer et de s'éteindre mystérieusement, avant que le salon sombre définitivement dans la PÉNOMBRE.

— D'où cela vient-il ? s'enquit Colette.

— Dans l'un de mes romans, il se passait la même chose… répondit Tom Mystery en émergeant de sous la table où il s'était caché. Et l'explication en était très simple : la maison REGOR-GEAIT de SPECTRES !

— Votre château serait donc hanté ? demanda Alicia en écarquillant les yeux.

— Ne dis pas de BÊTISES : les fantômes

n'existent pas ! la rabroua Vanilla.

Et d'ajouter en s'adressant à ses amies :

– Allons dans nos chambres, les filles ! Toute cette tension est MAUVAISE pour la peau... J'ai besoin d'un masque RELAXANT !

Tandis que les Vanilla Girls s'éloignaient, Nicky observa :

– Vanilla a raison : les revenants n'existent pas ! Je crois que le moment est venu d'INSPECTER cette demeure pour essayer de comprendre de quoi il retourne !

Le petit groupe se lança illico à la DÉCOU-VERTE des pièces et des coins les plus reculés de la maison.

Avec ses longs couloirs desservant des dizaines de salles ténébreuses, ses escaliers grinçants, sa cave humide, ses combles poussiéreux et ses étroites soupentes, Castel Faucon ressemblait à un véritable LABYRINTHE !

Pénétrant dans un vaste espace alors même que la nuit tombait, Nicky déclara :

– Même dans ce grenier, je ne vois rien de particulièrement étrange…

– Il a dû s'agir d'une simple PANNE électrique, conclut Pam. Je dirais que nous pouvons aller nous coucher en toute tranquill…

– AAAHHHHH!!! AU SECOURS !!!

– C'est la voix de Vanilla ! s'exclama Colette. Il a dû arriver quelque chose ! Vite, allons voir !
Sans perdre un instant, les Téa Sisters et leurs camarades dévalèrent les escaliers et se **RUÈRENT** dans la chambre de la jeune fille, où se trouvaient également les autres Vanilla Girls.

– QU'Y A-T-IL ?

VOUS ALLEZ BIEN ?

demanda Vik en ouvrant grand la porte.
– Oui... répondit Vanilla en réprimant un **GLOUSSEMENT**. J'ai cru voir un fantôme, mais j'ai dû me **TROMPER**. Puisque vous êtes là... ce serait vraiment gentil de votre part de hisser mes bagages en haut de l'armoire !

– Vanilla, tu ne nous as pas causé une telle **frayeur** uniquement pour qu'on t'aide à ranger tes valises, n'est-ce pas ? lâcha Pam, exaspérée.

– Jamais je ne ferais une chose pareille ! répondit Vanilla en faisant un clin d'œil à ses amies.

Après cette fausse ALERTE, le petit groupe repartit le long du couloir.

OÙ EST PASSÉ SHEN ?

Les jeunes investigateurs s'arrêtèrent devant une porte en bois massif arborant une vieille plaque en cuivre sur laquelle se lisait à grand-peine le mot

Paulina l'ouvrit et se retrouva dans une pièce faiblement éclairée, dont les murs étaient couverts de toutes sortes de livres.
– Vanilla m'a mise hors de moi ! déclara Pam en déambulant à travers les rayonnages POUSSIÉREUX. Shen, tu me prêteras un de tes sudokus ? Ça m'aidera peut-être à me DÉTENDRE...

N'ayant reçu aucune réponse, la jeune fille fit volte-face.

– Shen ?

Pas la moindre TRACE du garçon…

– Mais où est-il passé ? se demanda-t-elle en se grattant le crâne. Les filles, Shen a disparu !

– Comment est-ce possible ? s'exclama Nicky. Il ne s'est tout de même pas VOLATILISÉ !

– On dirait bien que si : il y a encore un instant, il était DERRIÈRE moi. Je me suis retournée et… plus personne ! expliqua son amie, déconcertée.

– **TÂCHONS DE LE TROUVER !** dit Craig.

Rejoint par Tom Mystery, le petit groupe se mit à explorer la bibliothèque. Lorsqu'il parvint près d'un mur encombré de volumineux ouvrages anciens, une voix résonna :

– *Ouh ouh, les amis !*

– **UN FANTÔÔÔME !** hurla l'écrivain, épouvanté, en courant à travers toute la pièce.

– Non, c'est la voix de Shen ! rectifia Pam, étonnée. Pourtant… je ne le vois pas…

– C'est moi ! Je vous ENTENDS ! répondit

leur camarade. Je ne sais pas où je suis…
J'ai TRÉBUCHÉ… et maintenant je me
trouve quelque part dans le noir !

– Sa voix vient de derrière les livres ! observa
Paulina en s'approchant des rayons. Il doit
y avoir un DOUBLE fond ! Dieu sait
comment Shen a échoué là…

– Voici l'explication, sœurettes ! s'écria
Pam en désignant un endroit où le tapis
recouvrant le sol faisait un PLI.

En dessous, elle découvrit une petite
marche ! Lorsqu'elle y MONTA, un
petit clic résonna, et, avant que le groupe
comprenne ce qui se passait, la partie du
parquet sur laquelle il se tenait pivota et
l'expédia de l'autre côté du mur !

UN MYSTÈRE ET BEAUCOUP D'HISTOIRES !

Aussitôt, Nicky alluma sa torche et dans son faisceau apparut Shen, l'air quelque peu **EFFRAYÉ**.

– Tu as mis au jour un mécanisme donnant accès à un passage **SECRET** ! s'extasia Tom Mystery. Mes livres en sont pleins !

Les jeunes enquêteurs découvrirent qu'ils avaient atterri dans un couloir dérobé, relié à une galerie permettant de se déplacer d'un point à l'autre du château.

Après l'avoir explorée, ils finirent par émerger d'un énième boyau dans le salon d'où ils étaient partis. Paulina s'exclama :

– Que de **MYSTÈRES** !

– À ce propos, que diriez-vous d'en CONCE-VOIR un ? proposa l'écrivain en regagnant son fauteuil.

Ses invités s'assirent autour de lui, heureux de reprendre le cours de leur leçon.

– Connaissez-vous la recette pour réussir un roman de mystère ? commença-t-il.

Son auditoire attendit la réponse, intrigué.

– N'oubliez jamais cette règle fondamentale :

Ce qui vous donne la frousse… donnera aussi la frousse à vos lecteurs !

Résolus à tirer le meilleur profit de son CONSEIL, ses élèves se jetèrent tête baissée dans l'écriture de leur premier récit du genre.

Le lendemain soir, les écrivains en herbe se

réunirent pour lire leurs compositions, découvrant par la même occasion ce qui donnait la **CHAIR DE POULE** à chacun d'eux : un **VIRUS** informatique pour

UN VIRUS !

Paulina, une planète sans ARBRES pour Nicky, un *shampoing* aux effets désastreux pour Colette...

QUEL DÉSASTRE !

MES CHEVEUX SONT ABÎMÉS !

Les jours suivants, les jeunes visiteurs ne ménagèrent pas leur peine pour remettre le manoir en état. Grâce à leurs efforts, celui-ci retrouva peu à peu sa **SPLENDEUR** du temps où

avait été prise la photo qui avait tant plu à Tom Mystery !

Seules Vanilla et ses amies ne participaient pas aux travaux, trouvant chaque fois une nouvelle EXCUSE pour disparaître dans leurs chambres. La rénovation allait tout de même BON TRAIN, même si de MYSTÉRIEUX phénomènes continuaient à se produire à Castel Faucon...

CHÂTEAU (HANTÉ !) À VENDRE

Un matin, Tom Mystery se rendit à la salle de bains et regarda l'image que lui renvoyait le MIROIR situé au-dessus du lavabo. Avec un sourire satisfait, il se **SAVONNA** le visage, ouvrit le robinet et se RINÇA en fermant les yeux.

Quand il les rouvrit...

— *AAAAAAAHHH !!!*

... il s'aperçut que sa figure était devenue toute BLEUE ! Du robinet coulait, en effet, une eau sombre !

AHHHHH!

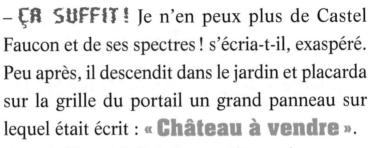
– **ÇA SUFFIT !** Je n'en peux plus de Castel Faucon et de ses spectres ! s'écria-t-il, exaspéré. Peu après, il descendit dans le jardin et placarda sur la grille du portail un grand panneau sur lequel était écrit : « **Château à vendre** ».

Face à l'incrédulité de ses élèves, le romancier expliqua que, bien que cette démarche lui COÛTÂT, il ne supportait plus de vivre dans un endroit pareillement infesté de fantômes.

Quelques heures seulement après qu'il eut affiché la pancarte, deux ÉTRANGES individus se présentèrent.

– Bonjour ! Nous avons vu que cette propriété était en vente… c'est bien cela ? s'enquit le premier, un rongeur râblé doté de grosses moustaches.

Tom Mystery soupira.

– Oui, elle vous INTÉRESSE ?

– Et comment ! Euh… je veux dire, ma foi, peut-être… bafouilla le second, qui portait d'épaisses lunettes et avait une abondante chevelure. Pam le dévisagea **ATTENTIVEMENT**.

– J'ai l'impression de vous avoir déjà vu… On se connaît ? lui demanda-t-elle.

– IMPOSSIBLE ! s'empressa-t-il de répondre. Nous venons tout juste… euh… d'arriver en ville !

Le romancier leur proposa une visite guidée du manoir, à laquelle se joignirent les Téa Sisters.

– Ici sont exposés les **PORTRAITS** de mes ancêtres… commenta-t-il en parcourant un long couloir.

– Ah oui, oui ! Magnifique ! glapit encore le plus maigre, sans s'apercevoir que sa volumineuse crinière était restée ACCROCHÉE à une applique de la galerie, révélant… sa calvitie !

Violet récupéra sa perruque et la lui tendit.

– Excusez-moi, monsieur, vous avez… hem…
PERDU ça…

– Oh, merci ! Merci ! s'exclama avec embarras
l'étrange visiteur, en remettant tant bien que mal
le POSTICHE sur sa tête.

En voyant les boucles de son compagnon
pendouiller plus bas d'un côté, le plus replet
TOUSSA nerveusement.

– À présent, peut-être vaut-il mieux que nous
partions !

Sur ces mots, il attrapa la main de l'autre et
l'ENTRAÎNA vers la sortie, qu'ils franchirent
à toute vitesse.

– Quels curieux personnages… commenta dubi-
tativement Colette.

– Certes… Avec toutes les BIZARRERIES de
ce château, ils ne dépareront pas ! ajouta Pam.

Au secours, un fantôme !

Celles qui, en revanche, ne s'inquiétaient ni des prétendues manifestations surnaturelles ni des TRAVAUX de rénovation étaient les Vanilla Girls.

Ignorant l'agitation qui régnait autour d'elles, l'excessivement *gâtée* Vanilla de Vissen et ses amies profitaient pleinement de leur SÉJOUR à Castel Faucon.

Les quatre filles passaient leurs journées à bronzer sur la terrasse, à courir dans le parc et à faire de longues SIESTES.

Et quand elles avaient besoin de quelque chose, il leur suffisait de prétendre avoir vu un revenant !

Leurs **FAUX** cris épouvantés faisaient toujours accourir l'un ou l'autre de leurs camarades, auquel elles demandaient de leur rendre service ! Ce soir-là, Vanilla bavardait au TÉLÉPHONE avec sa mère, lui exposant son **INFAILLIBLE** méthode pour transformer ses compagnons en serviteurs.

– Ah, ma petite maman ! Si tu voyais leur TÊTE quand ils débarquent pour nous sauver ! conclut-elle, vautrée dans un fauteuil du salon.

Après que mère et fille eurent fini de se moquer de tant de naïveté, Vanilla raccrocha et s'apprêta à quitter la pièce quand une voix caverneuse RETENTIT :

– Qu-qui parle ? bredouilla-t-elle en regardant tout autour d'elle.

– **Va-t'eeen !** répéta la voix mystérieuse.

La jeune fille TRESSAILLIT et se précipita dans le couloir en criant :

– Au secouuurs, un fantôôôme !!!

Qu-qui parle ?!

Mais cette fois, personne ne vint : Vanilla avait lancé trop de fausses ALERTES pour que quiconque la croie encore !

La jeune fille se RUA dans les chambres de ses amies.

– Vite, faites vos valises ! leur intima-t-elle sans leur donner d'explication. On s'en va ! Immédiatement !

– Mais Vanilla, il est TARD, et il fait déjà nuit... objecta Zoé.

– Aucune importance ! Je ne resterai pas dans cet endroit une minute de plus ! répliqua-t-elle.

Et c'est ainsi que les quatre filles, ne se souciant guère des TÉNÈBRES qui tombaient, quittèrent Castel Faucon pour s'enfoncer dans la forêt dense et sombre...

RECHERCHES NOCTURNES

– Rien, elles ne sont pas non plus sur la terrasse !
annonça Paulina en entrant d'un pas vif dans le
salon.

– Et aucun de leurs **PORTABLES** ne
répond ! ajouta Colette.

Leurs camarades étaient habitués aux *DISPA-
RITIONS* des Vanilla Girls lorsqu'il s'agissait
d'accomplir de **GROS** travaux. Mais quand
venait l'heure de la leçon d'écriture, toutes les
quatre étaient d'habitude d'une PONCTUALITÉ
exemplaire !

Ne les voyant pas arriver, Vik et les Téa Sisters avaient parcouru tout le château pour les
TROUVER.

– Leurs chambres sont vides ! déclara celui-ci. Même leurs vêtements et leurs valises se sont ENVOLÉS !

– Elles sont PARTIES : il n'y a pas d'autre explication ! déclara Nicky.

– Mais c'est déjà le soir et elles ne connaissent pas la route ! Elles RISQUENT de se perdre ! s'exclama Paulina.

– Il faut partir à leur recherche ! conclut Pam sans hésiter.

ELLES SONT PARTIES...

OUI, MAIS OÙ ?

Armé de **TORCHES**, le petit groupe se lança donc sur les traces de Vanilla, Alicia, Connie et Zoé.

Lorsque les Téa Sisters et Vik traversèrent le jardin, les **SILLONS** creusés par les valises à roulettes des quatre fugitives n'échappèrent pas à Paulina.

– Nous avons vu juste : elles ont quitté la propriété... et leurs empreintes mènent à la **FORÊT** !

Constamment éclairés par la lune, dont les rayons filtraient entre les branches des arbres, les six sauveteurs s'enfoncèrent dans l'épais sous-bois. Suivant la piste des brindilles qui s'étaient **brisées** sous les pas de Vanilla et de ses amies, ils parvinrent rapidement à une clairière.

– Vous entendez ce **BRUIT** ? s'enquit Violet en tendant l'oreille.

– Oui, on dirait le chant d'un OISEAU… répondit Colette. Peut-être une corneille…

– Je ne crois pas, intervint Vik avec un sourire de soulagement. Ce n'est autre que ma sœur qui BRAILLE ! Je reconnaîtrais ses cris n'importe où !

Et en effet, quelques mètres plus loin, dans un espace dégagé au milieu de la futaie, se tenaient les quatre DISPARUES !

Comme son frère l'avait deviné, Vanilla était en train de **réprimander** ses compagnes et ne s'interrompit qu'en les voyant.

– Que faites-vous donc ici ?! leur demanda-t-elle.

– On vous cherchait ! répliqua Vik. Pourquoi êtes-vous parties sans prévenir ?

N'ayant nulle intention de reconnaître qu'elle s'était enfuie par peur des fantômes, elle prétexta :

– Euh… eh bien, c'est simple : nous devions quitter en vitesse ce château délabré et moisi ! L'humidité commençait à m'abîmer les cheveux ! Quoi qu'il en soit, nous n'avons pas besoin de votre AIDE : nous savons parfaitement comment retourner à Raxford !

À voir l'air **DÉPITÉ** des Vanilla Girls, il était pourtant clair que les quatre filles n'avaient pas la moindre idée du CHEMIN menant au collège.

ON VIENT AUSSI !

ATTENDEZ-NOUS !

OUF…

Adressant un clin d'œil à ses amies, Pam répliqua donc :
– Très bien ! Dans

ce cas, nous, nous RENTRONS à Castel Faucon !

À la perspective d'ERRER toute la nuit dans la forêt, Alicia, Zoé et Connie bondirent sur leurs pieds.

– *ATTENDEZ ! ATTENDEZ !* On vient avec vous !

Plantant là leur orgueilleuse amie, les trois filles s'élancèrent à la suite de Vik et des Téa Sisters. Scrutant brièvement les alentours, Vanilla **fris-sonna** et courut derrière elles.

– Ne me laissez pas... cria-t-elle en rejoignant le groupe, avant de rectifier : Euh, enfin, je ne vais quand même pas *vous laisser* toutes seules : RETOURNONS au manoir !

Sur le chemin du retour, Pam s'**ARRÊTA** inopinément.

– Par mille bielles débiellées ! Qu'y a-t-il donc derrière ce **BUISSON** ?

Des indices...
plein le sac !

L'attention de Pam avait été attirée par un **ballot** caché sous les feuilles mortes qui tapissaient la forêt.

– Regardez un peu ce qu'il y a là-dedans ! dit la jeune fille en sortant un étrange APPAREIL. Un... un... mais quel est ce truc ?

Paulina s'approcha.

– C'est une sorte d'**émetteur-récepteur** ! Et il y a aussi cela... annonça-t-elle en extrayant du sac une **FEUILLE** enroulée, dont elle prit aussitôt connaissance.

QU'EST-CE QUE C'EST ?

Les autres Téa Sisters et Vik se pressèrent autour d'elle.

– Mais, c'est... un $\mathcal{PLAN}$ de Castel Faucon ! s'exclama Nicky.

– Vite, au château ! J'aimerais essayer d'y voir plus clair ! conclut Paulina.

Dès leur retour, les Téa Sisters révélèrent leur découverte à Tom Mystery et à leurs camarades.

– Quelqu'un a tracé des ✘ sur le plan. Pouvez-vous nous dire à quels endroits de la maison ils correspondent ? demanda Colette en s'adressant au romancier.

– Voyons... Je dirais que celle-ci se situe sur la citerne fournissant l'eau courante... Celle-là sur le placard abritant le tableau électrique... observa-t-il avec perplexité.

L'écrivain et ses élèves échangèrent des regards interrogatifs.

– Qu'est-ce que cela signifie ? s'enquit Tanja en rompant le **SILENCE**.

– Que nous sommes sur le point de... résoudre l'énigme des fantômes ! lâcha Colette, rayonnante, en battant des mains. Regardez, il y a encore un 🄻🄸🅅🅁🄴 au fond du sac !

Ce disant, elle exhiba un ouvrage intitulé *Milles farces terrifiantes*, puis elle l'ouvrit à la page où était inséré un SIGNET et lut :

> **Pour jouer un bon tour à vos amis,**
> **faites-leur croire**
> **que leur maison est hantée...**

– À l'image de ce château ! s'écria Tanja.

Le visage de Shen s'illumina et le garçon claqua des doigts.

– Il n'y a donc pas l'ombre d'un spectre ici…

– Non ! Ce n'étaient que des BLAGUES mises en scène par on ne sait qui ! conclut Pam.

– Avec franchement mauvais goût… grommela Tom Mystery.

Hochant la tête, Colette ajouta :

– En fait, plus que d'une simple plaisanterie, il s'agit d'une MACHINATION savamment ourdie. Écoutez ça…

FAUX SPECTRES ET VRAIE EMBROUILLE

La lecture du livre révéla ce qui s'était vraiment passé.

– Ici, on explique qu'on peut **COLORER** l'eau courante en versant de la teinture dans le réservoir d'eau de la maison… dit Pam.

– Et là, qu'on peut automatiser l'allumage et l'extinction de l'*éclairage* grâce à une minuterie ! ajouta Paulina. Allons voir sur place !

Dans le local électrique, ils trouvèrent en effet un gros **minuteur** programmé pour éteindre l'ensemble des lumières tous les mardis soirs. Puis ils découvrirent que le couvercle de la citerne avait été **FORCÉ**.

La **honte** empourpra le visage de Tom Mystery.
– Je n'aurais pas dû me laisser manipuler de la sorte... Les filles, merci d'avoir mis au jour la VÉRITÉ !
– Un instant ! intervint Vanilla. Comment expliquez-vous la VOIX que j'ai... euh... que monsieur Mystery a entendue ?
– Suivez-moi ! proposa Paulina. J'ai une hypothèse !
Lorsqu'ils eurent regagné le salon, la jeune fille sortit le petit émetteur-récepteur du sac et l'alluma.
– VAAA-t'eN ! VAAA-t'eN ! murmura-t-elle dans l'appareil.
Le son amplifié de sa voix envahit la pièce :

« VAAA-t'eN ! VAAA-t'eeeeN !!! »

– C'est bien ce que je pensais ! commenta-t-elle
en se dirigeant vers la cheminée et en scrutant le
conduit de fumée. Voici notre fantôme ! conclut-
elle en en sortant un minuscule amplificateur.

– Mais bien sûr ! comprit Ron. Quelqu'un embus-
qué dans la forêt PARLAIT dans l'émetteur, et

LE MYSTÈRE EST RÉSOLU !

sa voix démesurément grossie parvenait jusqu'à nous !

– INCROYABLE ! s'exclama Paulina. Il reste une dernière question : pourquoi tenait-on tant à TERRORISER Tom Mystery ?

L'intéressé répondit lui-même :

– Je sais : pour m'inciter à VENDRE le château !

– Qui a bien pu faire cela et pourquoi ? murmura SONGEUSEMENT Colette.

– Nous ne tarderons pas à le découvrir ! Que l'enquête commence ! claironna Paulina d'un ton résolu.

PORTRAIT-ROBOT
DE DEUX FANTÔMES

Le lendemain matin, les Téa Sisters se levèrent de bonne heure, bien décidées à **résoudre** cette dernière énigme. La veille au soir, elles avaient décidé que le meilleur endroit où commencer leur **ENQUÊTE** était le *Zanzibazar*.

En effet, le magasin de Tamara était le seul de toute l'île où les faux fantômes avaient pu se **PROCURER** le nécessaire pour transformer Castel Faucon en maison hantée !

– Voyons… dit la patronne en se concentrant. Vous voulez savoir si récemment quelqu'un nous aurait acheté un **minuteur** et un

émetteur-récepteur ? Je regrette, mais je ne me rappelle pas...

Colette ne capitula pas :

– Vraiment ? Ils ont aussi pris du colorant **BLEU** !

– Moi, je me souviens de ceux qui en ont demandé ! intervint Camomille, surgie de derrière un rayon. Au départ, ils en voulaient du **ROUGE**, puis... euh... ils ont changé d'avis...

JE ME SOUVIENS DE DEUX INDIVIDUS !

L'employée décrivit les deux rongeurs qui s'étaient ainsi approvisionnés au *Zanzibazar* : l'un était grand et maigre et l'autre petit et **GROS**, et ils portaient des combinaisons vertes.

– Mais... ce sont les deux **OUVRIERS** que nous avons rencontrés à Castel

Faucon le jour de notre pique-nique ! s'exclama Violet.

– *COURONS* prévenir Tom Mystery et les autres ! décida Nicky.

Quand les cinq amies rapportèrent au romancier ce qu'elles avaient découvert, celui-ci eut l'air surpris.

– Mais… je n'ai envoyé personne faire des TRAVAUX à Castel Faucon avant mon arrivée !

– C'est donc certainement à ce moment-là qu'ils ont caché l'amplificateur dans la cheminée et installé le minuteur ! en déduisit Pam.

Soudain, le portable de Paulina SONNA.

– Salut, Camomille, je t'écoute ! répondit la jeune fille. Tu en es sûre ?! Merci, tu nous as été très UTILE !

La nouvelle que Paulina leur transmit était incroyable !

Camomille s'était souvenue des autres étranges acquisitions faites par les deux rongeurs : d'épaisses fausses **MOUSTACHES**, une paire de grosses lunettes et une volumineuse perruque châtain !

RONGEUR 1

RONGEUR 2

– Ils ont raconté à Camomille qu'ils en avaient besoin pour se rendre à une **FÊTE** déguisée… dit Paulina.

– Mais désormais nous **SAVONS** à quoi cela leur a réellement servi… commença Pam.

– Oh que **OUI** ! enchaîna Colette. À ne pas se faire reconnaître pendant leur visite du château !

– Dommage que nous **IGNORIONS**, en revanche, comment retrouver leur trace… souligna sombrement Nicky.

Plongée dans ses pensées, Violet fut la seule à garder le **SILENCE**…

UNE CONTRE-ATTAQUE DE GÉNIE !

Cet après-midi-là, alors que ses camarades et Tom Mystery s'étaient **REPLONGÉS** dans la rénovation du château, Violet prit le l i v r e de farces, se prépara une tisane favorisant la CONCENTRATION et s'installa dans le salon.

VOYONS...

Elle éprouvait le besoin de rassembler ses idées avant d'élaborer un plan propre à piéger les deux imposteurs.

« Voyons si cet ouvrage permet de deviner le prochain COUP que ces deux lascars nous réservent ! » se dit-elle en feuilletant le chapitre sur les fantômes.

Soudain, des pages du livre glissa une petite FEUILLE jaune, que Violet s'empressa de ramasser.

– Parfait... murmura-t-elle en souriant, après l'avoir lu.

Puis elle sortit du salon et rejoignit Paulina et Pam, qui vidaient le couloir des CARTONS qui l'encombraient.

– Regardez ce que j'ai trouvé dans le livre appartenant à nos « spectres »... annonça-t-elle en montrant le papier à ses amies.

PROGRAMME

Voix effrayantes	Lumières		Bruits sinistres		Fenêtres qui s'ouvrent	
Lun.	Mar.	Mer.	Jeu.	Ven.	Sam.	Dim.
Eau teintée Lun.	Lumières Mar.	Voix effrayantes Mer.	ASSAUT FINAL !!! Jeu.	Ven.	Sam.	Dim.

– Ils ont noté, jour par jour, tous les mauvais **TOURS** qu'ils prévoyaient de jouer à Tom Mystery ! observa Paulina.

– Et l'ASSAUT final a été fixé à… ce soir ! s'exclama Pam.

– S'ils le lancent vraiment, ce sera l'occasion unique de se retrouver FACE À FACE avec eux et de les démasquer… mais comment procéder ? commenta pensivement Violet.

Paulina laissa tomber le carton qu'elle tenait et s'écria :

– J'ai une idée fantasouristique ! Suivez-moi !

Tom Mystery et ses élèves se réunirent, une fois encore, dans le salon pour prendre connaissance des derniers événements.

– Selon moi, le seul moyen de nous libérer de ces deux MYSTIFICATEURS est de… leur rendre la monnaie de leur pièce ! déclara Paulina.

– Oui, mais de quelle manière ? s'enquit Tanja.

– Nous pourrions les *épouvanter* à notre tour, en devenant, pour l'occasion, les… fantômes de Castel Faucon !

La suggestion de Paulina fit aussitôt l'unanimité. Pour élaborer farces et traquenards, les étudiants de Raxford n'auraient même pas besoin de se documenter : ils pouvaient en effet compter sur l'imagination d'un AS du suspense... Tom Mystery !

Le romancier eut aussitôt une idée.

– Pour SURPRENDRE ces deux importuns, on pourrait exploiter les PASSAGES SECRETS !

En s'aidant du plan du château, le petit groupe planifia une vraie contre-attaque.

Même Vanilla et ses amies participèrent en proposant de se rendre au *Zanzibazar* pour y acheter le MATÉRIEL nécessaire à leur entreprise.

– Il n'y a pas à dire, nos deux plaisantins vont bénéficier d'un accueil on ne peut plus... SPEC-TRAL ! conclut Colette, à la fin de la séance.

Un accueil terrifiant...

À minuit pile, suivant leur plan et ignorant ce qui les attendait, les deux imposteurs se faufilèrent à l'intérieur de Castel Faucon, persuadés que tous ses occupants DORMAIENT déjà.

Avant même qu'ils aient eu le temps de revêtir leurs costumes de spectres, un long **HURLE-MENT** les cueillit par surprise.

– C'é… c'était toi? demanda l'un des rongeurs à son comparse, qui avait BLÊMI.

– N-non… Ce d-doit être le v-vent…

À cet instant, un deuxième cri les fit de nouveau TREMBLER comme des feuilles!

– P-peut-être… v-vaut-il mieux remettre notre

attaque à d-demain, qu'en d-dis-tu ? proposa le second avec un filet de voix.

Il esquissa un pas, mais, comme il faisait noir, il trébucha sur... le skateboard que les élèves de Tom Mystery avaient stratégiquement placé au milieu du couloir ! La planche *FILA* en avant, entraînant son passager jusqu'à un mur enduit d'une matière COLLANTE et nauséabonde. Ce n'était rien d'autre qu'une grande quantité de gel capillaire, sur laquelle les Téa Sisters avaient versé le contenu de quelques ampoules de liquide PUANT !

Croyant avoir échoué dans le ventre d'un redoutable monstre, le malfaiteur tenta de s'en *ÉCHAPPER* avec force hurlements de TERREUR, mais ne réussit qu'à heurter son acolyte, dont les glapissements s'unirent aux siens.

Mais pour eux, le pire restait à venir… Tandis qu'ils reprenaient leur souffle, les portes d'une **LOURDE** armoire s'ouvrirent brusquement, libérant quatre silhouettes aux allures de **SPECTRE** !

Braillant à en perdre le souffle, les deux escrocs se ruèrent hors de la pièce, puis s'aperçurent, au

DES FANTÔMES !

ALLEEEZ ! ALLEEEZ-VOUS-EN !!!

OUUUHHHHHH !

bout de quelques foulées, qu'ils étaient **SUIVIS**
non pas seulement par ces revenants, mais par
tout une armée de fantômes hululants !

Tous deux se lancèrent alors dans une **FUITE**
chaotique vers la sortie et, de là, vers la forêt.
Une fois dehors, ils ne purent entendre les
sinistres **PLAINTES** qui les avaient épouvantés... se transformer en fracassants éclats de
RIRE !

L'ANTIDOTE
À LA PEUR

Lorsque le soleil se leva, les élèves de Tom Mystery RIAIENT encore.

– Vous avez vu la mine terrorisée qu'ils avaient, tous les deux ! s'amusa Pam.

En sortant de Castel Faucon, ils s'aperçurent que les deux mystificateurs avaient été si pressés de fuir un château apparemment hanté qu'ils en avaient abandonné leur CAMIONNETTE à la lisière de la forêt.

Sur son plateau découvert, à l'arrière, ils trouvèrent un ÉLÉMENT qui les aida à comprendre ce qui avait poussé les deux rongeurs à simuler la présence de fantômes...

– Ben voilà, tout devient CLAIR ! s'exclama Pam en déroulant un projet de palace cinq étoiles à aménager sur le site. Ils voulaient transformer Castel Faucon en un grand HÔTEL de luxe !

– Mais bien sûr ! commenta Tom Mystery. Si j'avais continué à croire que ce manoir était HANTÉ, je l'aurais vendu sans trop y réfléchir, et à très bas prix !

HEUREUX d'avoir pu sauver l'antique demeure des griffes de ces deux profiteurs sans scrupule, les étudiants de Raxford firent leurs bagages, prêts à REGAGNER le collège.

– Merci de nous avoir enseigné l'art d'ÉCRIRE un roman de mystère, monsieur Mystery ! dit Colette au moment des adieux.

– C'est moi, jeunes gens, qui vous REMERCIE, de m'avoir aidé à remettre en état Castel Faucon et de m'avoir appris que, pour conjurer la peur, il suffit de… s'entourer d'amis ! répondit l'écrivain, ému.

UNE DÉDICACE SPÉCIALE !

De retour à Raxford, les Téa Sisters et leurs amis n'oublièrent pas la PROMESSE qu'ils avaient faite à madame Ratcliff avant de partir.

VOICI NOS DÉGUISEMENTS !

Exhibant des **PHOTOS** et des SOUVENIRS de leur séjour à Castel Faucon, ils racontèrent à leurs camarades l'incroyable AVENTURE qu'ils avaient partagée avec Tom Mystery. En entendant le récit de la manière dont Shen s'était retrouvé PRISONNIER d'un labyrinthe de couloirs et de celle dont ils avaient, tous ensemble, fait *FUIR* les deux mystificateurs, élèves et professeur restèrent bouche bée !

Les jours, les semaines et les mois passèrent jusqu'à un matin où le préposé au courrier de Raxford remit aux Téa Sisters un petit PAQUET...

– C'est de la part de **Tom Mystery** ! s'exclama Nicky en lisant le nom de l'expéditeur.

– **VITE !** Voyons ce qu'il contient ! dit aussitôt Paulina.

Les filles déballèrent fébrilement le colis et tinrent bientôt entre leurs mains... le nouveau ROMAN de l'écrivain, intitulé *Le Fantôme du mont Ébouleux* !

Les SURPRISES ne s'arrêtaient pas là ! En ouvrant le livre, les cinq amies découvrirent que, loin d'avoir oublié l'histoire qu'ils avaient vécue ensemble, Tom Mystery leur avait dédicacé son ouvrage !

TOM MYSTERY

LE FANTÔME
DU MONT ÉBOULEUX

⋯•◆▸•⋯•●⋯•◆•⋯•◂◆•⋯

Aux étudiants de Razford,

de fins enquêteurs et d'excellents amis !

ÉDITIONS DU MYSTÈRE

TABLE
DES MATIÈRES

DANS LA MÊME COLLECTION

Et aussi...

Hors-série
Le Prince de l'Atlantide

ÎLE
DES BALEINES

L'île des Baleines

1. Pic du Faucon

2. Observatoire astronomique

3. Mont Ébouleux

4. Installations photovoltaïques
   pour l'énergie solaire

5. Plaine du Bouc

6. Pointe Ventue

7. Plage des Tortues

8. Plage Plageuse

9. Collège de Raxford

10. Rivière Bernicle

11. *L'Antique Cancoillotterie,*
    restaurant et siège des
    *Messageries Ratiques
    — Transports maritimes*

12. Port

13. Maison des Calamars

14. *Zanzibazar*

15. Baie des Papillons

16. Pointe de la Moule

17. Rocher du Phare

18. Rochers du Cormoran

19. Forêt des Rossignols

20. Villa Marée, laboratoire
    de biologie marine

21. Forêt des Faucons

22. Grotte du Vent

23. Grotte du Phoque

24. Récif des Mouettes

25. Plage des Ânons

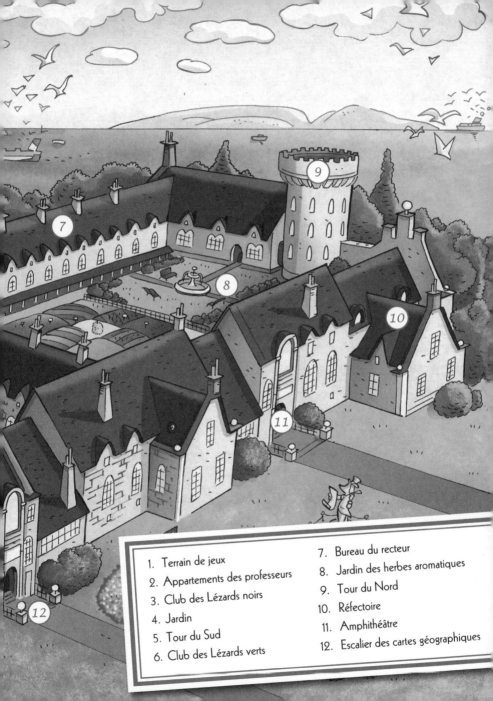

1. Terrain de jeux
2. Appartements des professeurs
3. Club des Lézards noirs
4. Jardin
5. Tour du Sud
6. Club des Lézards verts
7. Bureau du recteur
8. Jardin des herbes aromatiques
9. Tour du Nord
10. Réfectoire
11. Amphithéâtre
12. Escalier des cartes géographiques